P9-ECR-565

Bergen

Pictura Normann A.S.

BERGEN

INNLEDNING

Bergen - Fjord - Norges hovedstad er bygget opp av Nordlands torsk, flittige kjøpmenn og innvandrere. Formelt skriver byen seg fra 1070, da Olav Kyrre ga den kjøpstad rettigheter. I europeiske kilder er den omtalt som by i 1135. Handelen med marine produkter - særlig fisk - ble organisert av kong Øystein som styrte landet 1103-23. Han bygde ut fiskemottak i Lofoten (Vågan) og opparbeidet Bergen til eksporthavn. Ved siden av å flytte riksadministrasjonen fra kongsgården på Årstad (Alrekstad) til Holmen, grunnla han Munkeliv kloster, også for undervisningsformål, og flere kirker.

Byens sentrale kystposisjon var den naturgitte årsak til vekst gjennom hundrer av år, inntil handelen fra 1850-årene mer og mer søkte landverts kommunikasjonsmidler. Frem til da var Bergen Norges største og viktigste by. Der ble alle impulser fra Europa først nedfelt, omformet og tatt i bruk i nasjonale øyemed. Slik fungerte det allerede i byens store hundreår på 1200-tallet. Svartedauen i 1349 kom til å bli det mest avgjørende skillet i Norges og særlig for Bergens historie. Det skulle komme til å ta flere hundre år før samfunnet hadde vunnet over pestens virkninger.

I Bergen var tyske kjøpmenn klare for å opprettholde handelssamkvemmet. Engelskmennene hadde for så vidt vært først ute, og den første handelstraktaten Norge opprettet, var med den engelske kronen i 1223. Senere ble tilsvarende avtaler gjort med kontinentale handelssentra. Norge var særlig avhengig av kornforsyninger utenfra. Og dem skaffet det tyske Hanseforbundet. I 1909 fikk byen helårs innenlands samband med riket forøvrig, ved opprettelsen av en jernbaneforbindelse østover. Brukbart veinett kom ikke før i andre halvdel av 1900-årene, mens flyplassen (Flesland) ble tatt i bruk i 1955. Forholdene førte til at byen på mange måter utviklet seg på sine egne premisser innenfor sin isolasjon. En viss internasjonal posisjon er opprettholdt, dels gjennom den voksende turisme og byen som innfallsport til fjordheimen og dels gjennom arrangementer som Festspillene i Bergen og Kulturby 2000. På tross av at byens oppmerksomhet var knyttet mest til næringslivet, førte kontaktene med omverdenen til at utviklingen på andre felt først kom til å foregå i Bergen.

Byens symfoniorkester ("Harmonien") fra 1765, er et av verdens eldste. Den første norske maler, det første norske teater og de første norske tonekunstnere av verdensformat er alle fenomener med hjemstavn i Bergen. At byen i mange sammenhenger har måttet klare seg selv, ble det en slags egenart av. Siden 1877 har byen øket sitt omfang gjennom flere utvidelser og sammenslutninger med nabokommuner, sist i 1972. Det bor nå omkring 240 000 i kommunen.

INTRODUCTION

Bergen – the capital of Norway's fjords – was built on Nordland cod, industrious merchants and immigrants. The town was formally founded in 1070 when Olav Kyrre granted it market town status. European sources speak of it as a town in 1135. The trade in maritime products – especially fish – was organised by King Øystein who ruled the country between the years 1103-1123. He constructed the fish landing facilities in Lofoten (Vågan) and built up Bergen into an export centre. Besides moving the national administration from the King's estate at Årstad (Alrekstad) to Holmen, he founded the Munkeliv monastery, which was also a centre of education, and several churches.

The town's key position on the coast was the natural reason for its growth over centuries until trade increasingly sought overland means of transport from the 1850s onwards. Until that time Bergen was Norway's largest and most important town. This is where all the latest European influences were first felt, adapted and adopted for national purposes. This was how the town worked as early as its great century in the 1200s. The Black Death arrived in 1349 and became the most important watershed in Norway's history, especially in Bergen. It would take several hundred years before the community finally overcame the affects of the plague.

German merchants stood ready to maintain the city's international commerce. The English had actually arrived first, and the first trade treaty Norway signed was with the English crown in 1223. Later similar agreements were reached with continental centres of trade. Norway was particularly dependent on external grain supplies and these were acquired by the German Hanseatic League. In 1909 the town gained year-round inland communications with the rest of the country following the construction of the railway link eastwards. A usable road network was not put in place until the latter half of the 1900s, while the airport (Flesland) opened in 1955. These circumstances meant that in many ways the town had to develop independently within its isolated position. A certain international position has been maintained, partly through growing tourism and the city's status as a gateway to the fjords, and partly through events such as the Bergen International Festival and City of Culture 2000. Despite the fact that the city's attention was largely given over to commerce, its contacts with the outside world meant that developments in other fields arrived in Bergen first.

The city's symphony orchestra, "Harmonien", founded in 1765, is one of the oldest in the world. The first Norwegian painter, the first Norwegian theatre and the first Norwegian musician of international renown all called Bergen their home. The fact that in many ways the city has had to fend for itself became part of its distinctive character. Since 1877 the town has expanded its boundaries through several expansions and mergers with neighbouring municipalities, the last one taking place in 1972. Around 240,000 people now live within the local authority's boundaries.

INNHOLD

CONTENTS

TORGALLMENNINGEN

I østre hjørne av Torgallmenningen står Dyre Vaa's Sjøfartsmonument som en historisk bauta over havets arbeidsfolk opp gjennom tidene. Torgallmenningen er Bergen's representasjonsgate nr. 1, og navnet fikk den etter den mest ødeleggende ildebrann da 7/8 av bygningsmassen strøk med. Bygningene på begge sider av gaten ble reist etter enda en brann da hele sentrum ble utslettet i 1916.

In the eastern corner of Torgallmenningen stands Dyre Vaa's Maritime Monument, a historical reminder of all those who have worked on the seas throughout the ages. Torgallmenningen is Bergen's main street and got its name from one of the most devastating fires in the city's history when 7/8 of the buildings were lost. The buildings on both sides of the street were rebuilt after yet another fire wiped out the entire city centre in 1916.

SHOPPING
THORN

TORGET

Torget i bunnen av Vågen er et konsentrat av markedsplasser som gjennom den intense turisttrafikken i den lyse årstid har gitt byen et visst ry. Mest aktet er Fisketorget som i vest er flankert av Blomstertorget og i øst av torg med frukt og grønnsaker. Her er også boder som selger turistartikler i alle valører.

The Market Square at the bottom of Vågen is a conglomeration of smaller markets that, because of the busy tourist traffic in the brighter seasons of the year, have given the city something of an international reputation. The most revered is the Fish Market, which is flanked to the west by flower stalls and to the east by stalls selling fruit and vegetables. You will also find stalls selling souvenirs of every type.

KONTOR
SYSTEMER
Jeppes
Pizza
Hansa for
enhver torst
SYNSSENTERET
TOALETT
Gilde

CAFÉ
BRASIL

STRILEDAGENE
Hver vår arrangeres "Striledagene". Denne dagen kommer folk fra bygdene som omgir Bergen, kledd i sine tradisjonelle gamle finklær og skaper feststemning på Torget. De har med varer fra egen avling og gårdsdrift, samt bruksgjenstander som er laget på gamle måten. Er du heldig kan du gjøre en god handel. Stemningen må oppleves.

STRILENE DAY
The "Strilene Day" festival is held every spring. On this day people from the outlying districts around Bergen arrive in town dressed in traditional costume and create a festival atmosphere in the Market Square. With them they bring crops and produce from their own farms, as well as traditionally made everyday articles. You can get a good deal if you are lucky. The atmosphere has to be experienced.

SKUR 10
SKUR 11

Torget syder av liv i turistsesongen. Her kan du kjøpe baguetter med laks og reker. Dersom du ønsker andre maritime produkter, er det bare å spørre. Du kan komponere din egen baguett basert på sjøens produkter og nyte den på en av benkene ved sjøsiden. Uansett hvor du kommer fra er det svært sannsynlig at du vil finne en fiskehandler som kan svare deg på ditt eget språk. Her snakkes det 24 forskjellige språk, om ikke flere.

The Market Square teems with life in the tourist season. You can buy salmon or prawn baguettes here, and if you want to taste other seafood delicacies, you just have to ask! You can create your own seafood baguette and enjoy it on one of the benches by the sea. No matter where you come from it is highly likely that you will find a fish merchant who can answer you in your own language. 24 or more different languages are spoken here.

VÅGEN

Fra de eldste tider har Bergen vært det naturlige trafikk knutepunkt for all transport på Vestlandet. Vågen (nedenfor) var det sentrale sted i denne trafikken. Fremdeles spiller Vågen en sentral rolle i byens liv med sjøveis forbindelse med hurtigbåter, innover i fjordene og utover til øyene.

Since the earliest times Bergen has been a natural crossroads for all transport in Western Norway. Vågen (below) was a key location for this traffic. Vågen still plays a key role in the city's life with sea route links via coastal expresses into the fjords and outwards to the islands.

HAVTRYGD

Sognekongen

BEST I BY'N

Det er trafikken på sjøen som har skapt grunnlaget for Bergen. Hit kom fiskerne fra hele kysten for å levere fangst som så ble transportert videre over land eller med båter til utlandet. Det var her Hanseatene slo seg ned med sine handelshus, og det var på Vågen fartøyer under mange flagg kjøpte og solgte sine varer. I vår tid holder NIS (Norsk Internasjonale Skipsregister) til ved Vågen. Som regel ligger byens stolthet, skoleskipet "Statsraad Lehmkuhl" fortøyd litt lengre ute. Bryggen ser vi bak oss. Samt et frodig restaurant liv. Vågen er også parkeringsplass for ulike typer lystbåter.

It was sea traffic that created the foundation on which Bergen was built. Fishing boats from all over the coast came here to deliver their catches, which were then transported onwards over land or by boat abroad. It was here the Hanseats established themselves and their trading houses, and it was at Vågen that ships under many flags bought and sold their goods. Nowadays Vågen is home to the NIS (Norwegian International Ship Register). As a rule the pride of the city, the training ship 'Statsraad Lehmkuhl', lies moored a bit further out. We can see Bryggen Quay in the background. As well as being home to exuberant restaurant life, Vågen is also a parking place for various types of leisure boats.

BRYGGEN

Frem til 1945 ble Bryggen kalt tyskebryggen fordi handelen med marine produkter fra senmiddelalderen til slutten av 1700-årene ble drevet av nordtyske kjøpmenn som slo seg ned her (Hanseatene). Denne eksporthandelen har vært drevet fra Bryggen i hundrer av år før hanseatene - det tyske kjøpmann forbundet - kom til Norge i det politiske og økonomiske sammenbrudd etter Svartedauen i 1349. Byggefronten med den lange kaifront med gavlene vendt mot fjorden, er eldre enn den formelle grunnleggelse av Bergen.

Slik Bryggen fremstår i våre dager, er den en rest av de gårdene som ble gjenreist etter brannene i 1702 og 1955. I velmaktstiden strakte denne bygningsfronten seg mot nord til festningen Bergenhus, og mot sør et godt stykke oppover i nåværende Kong Oscars gate. Opprinnelig lå kaifronten over 100 meter lenger inne i forhold til hva den gjør i dag. Bryggen er oppført på UNESCO´s liste over særs verneverdige natur- og kulturminner (The World Heritage List) siden 1979.

Until 1945 Bryggen Quay was also called the "German Wharf" because the trade in maritime products from the late Middle Ages to the end of the 1700s was run by the Northern German merchants who settled here (the Hanseatic League). The export trade was run from Bryggen Quay for hundreds of years before the Hanseatic League – the German merchant's association – arrived in Norway following the political and economic collapse resulting from the Black Death in 1349. The front of the wharf with its long quayside and its gables facing the fjord are older than the formal founding date of Bergen.

Today Bryggen Quay consists of the remains of the buildings that were rebuilt after the fires in 1702 and 1955. In one period of prosperity the fronts of these buildings stretched north to the Bergenhus Fortress and southwards a good way up the present Kong Oscars Gate. Originally the quayside was more than 100m further inland than it is today. Bryggen Quay has been listed on UNESCO's World Heritage List since 1979.

BRYGGEN HUSFLID

BRYGGEN HANDE

USFLID

Bryggen har i dag et kulturelt miljø med rike tradisjoner. Her finner vi også en viktig del av byens livlige forretningsliv. Midt i miljøet ved bryggen finner vi SAS Royal Hotel, som er bygget i samme stil som sine omgivelser.

Today Bryggen Quay is a cultural setting with rich traditions. An important part of the city's lively business sector also calls it home. In the middle of the Bryggen Quay district we find the SAS Royal Hotel, which was built in the same style as its surroundings.

41
44

BRYGGENS
MUSEUM

BERGENHUS FESTNING

I løpet av 1200-tallet ble Bergen den største og viktigste byen i Norge og landets første hovedstad. På Bergenhus (i middelalderen kalt Holmen), nord for trebebyggelsen på Bryggen, lå det kongelige, politiske og kirkelige senteret. To storslåtte bygninger, Håkonshallen og Rosenkrantztårnet, er i restaurert stand tatt vare på. Den hvite bygningen mellom dem er fra 1700-tallet.

During the 1200s Bergen was the largest and most important town in Norway and the country's first capital. Bergenhus Fortress (called Holmen in the Middle Ages), to the north of the wooden buildings of Bryggen Quay, was the royal, political and religious centre. Two magnificent buildings, Håkon's Hall and the Rosenkrantz Tower, have been preserved in a restored condition. The white building between them is from the 1700s.

ROSENKRANTZTÅRNET
(bygget 1562 – 1568) ruver i miljøet rundt Vågen.

THE ROSENKRANTZ TOWER
Built between 1562 and 1568, it towers over the area around Vågen.

MARIAKIRKEN (til venstre) er byens eldste bevarte bygning fra 1100-tallet. Kirken har vært i sammenhengende bruk siden tidlig middelalder. Det eldste inventaret, alterskapet, er fra slutten av 1400-tallet. Bildet over viser Domkirken i Bergen.

ST. MARY'S CHURCH (to the left) is the city's oldest preserved building from the 1100s. The church has been in continuous use since the early Middle Ages. The oldest feature, the triptych, is from the end of the 1400s. The photo above shows the cathedral in Bergen.

Komediedikteren Ludvig Holberg (1684 – 1754), står på Vågsallmenningen og ser utover Torget.

The comedic poet Ludvig Holberg (1684-1754) stands in Vågsallmenningen gazing over the Market Square.

KONTOR SYSTEMER
Jeppes Pizza

Bergen er en vandring verd. Bare å rusle rundt i de gamle gater og smau kan være en opplevelse. Her har folk virket og bodd i hundrevis av år. Små trehus og murbygninger ligger på kryss og tvers, brosteinene går over i trapper på det bratteste og blomstergleden pynter opp over alt.

Bergen is well worth a wander around. Just strolling through the old streets and alleyways can be an experience. People have worked and lived here for hundreds of years. Wherever one looks there are small wooden houses and stone buildings, cobblestones flow into steps on the steepest inclines and flowers blossom everywhere.

FLØIBANEN

Ved bunnen av Vågen finner vi endestasjonen for Fløibanen. Den fører opp til Fløifjellet 325 m.o.h. Med en storslagen utsikt over byen og havet.

At the bottom of Vågen we find the end station of the Fløien Funicular Railway. This leads up to Mount Fløien 325 metres above sea level with its magnificent view of the city and sea.

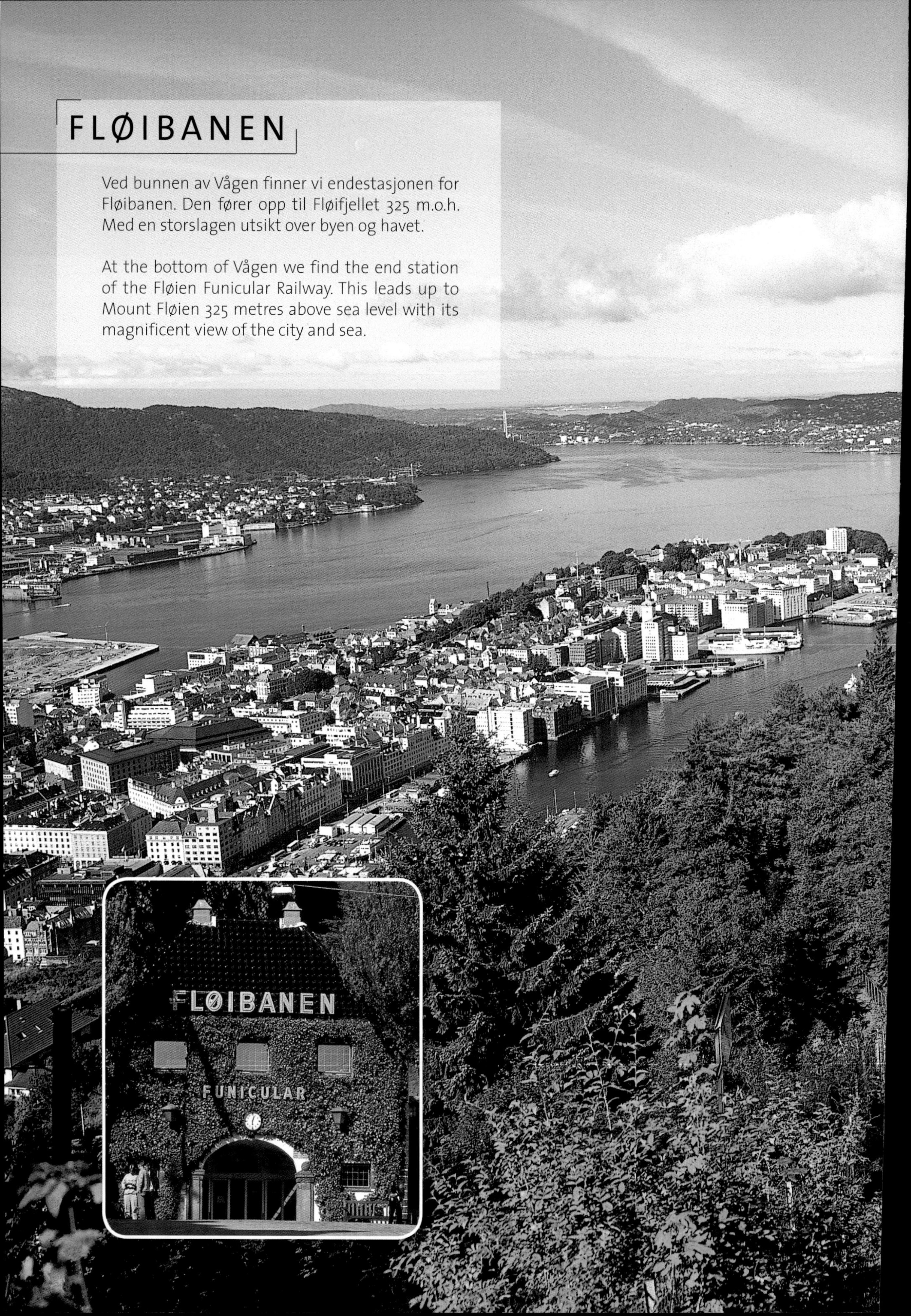

FLØIBANEN
02
GANGLOFF

Bilde viser "Truls Jordan´s utsikt fra Fløien".

Truls Jordan's view from Mount Fløien

ULRIKEN

Med en reisetid på ca. 8 minutter med Ulriksbanen kan du komme opp på toppen av Ulriken for å beskue Bergen fra 643 m.

An 8-minute journey on the Ulriken cable car brings you up to the summit of Mount Ulriken from where you can view Bergen from 643 m above sea level.

Perle & Bruse
Hansa

Bergen er kjent som en livlig handelsby, og en rekke av gatene blir preget av dette, som f.eks. Strandgaten (til høyre).

Bergen is known as a commercial city, and a number of streets bear testament to this, e.g. Strandgaten (to the right).

THOMSEN
Moe & Co
ICA

AKVARIET

I løpet av 1950-årene ble innsamlinger iverksatt, planene lagt og arkitektkonkurranse gjennomført. Akvariet, i tilknytning til Havforskningsinstituttet, ble åpnet i 1960, og er senere påbygget og utvidet i flere etapper. Det inneholder Europas største samling av saltvannsfisk og lavere sjødyr.

Fundraising started in the 1950s, plans were drawn up and an architecture competition held. The Aquarium, linked to the Institute for Marine Research, opened in 1960 and has subsequently been expanded in several stages. The Aquarium is home to Europe's largest collection of saltwater fish and smaller aquatic animals.

DEN NATIONALE SCENE

I 1909 ble Den Nationale Scene som er tegnet av Einar O. Schou og regnes for å være et av de fremste eksempler på nordisk jugendstil tatt i bruk. I parkområdet foran Den Nationale Scene finner vi flere vakre skulpturer: "Liggende poet" av Hans Jacob Meyer, "En gutt" av Auguste Rodin, "Bjørnstjerne Bjørnson" av Gustav Vigeland og "Henrik Ibsen" av Nils Aas. På østsiden er Johan Nordahl Brun Grieg plassert. En kjent og kjær bergensforfatter med sterk tilknytting til Bergen før og under den 2. verdenskrig.

The National Scene was designed by Einar O. Schou in 1909 and is regarded as one of the finest examples of Nordic art nouveau architecture in use. The park in front of the National Scene is home to several beautiful sculptures: "Lying poet" by Hans Jacob Meyer, "A boy" by Auguste Rodin, "Bjørnstjerne Bjørnson" by Gustav Vigeland, and "Henrik Ibsen" by Nils Aas. On the east side you will find Johan Nordahl Brun Grieg, a famous and much loved writer from Bergen who had strong ties to Bergen before and during WWII.

Utenfor "Hotell Norge " står statuen av Ole Bornemann Bull (1810 – 1880). Norsk superstjerne og eventyrskikkelse, nasjonalhelt og fiolinvirtuos. Han fikk 17. mai 1901 sammen med Fossegrimen avduket en statue av seg. Statuen er laget av Stephan Sinding. Over: St. Johannes Kirken.

Outside the Hotell Norge there is a statue of Ole Bornemann Bull (1810-1880). He was a Norwegian superstar, a figure of legend, a national hero and a violin virtuoso. The statue of him together with Fossegrimen, the water spirit, was unveiled on 17th May 1901. The statue was the work of Stephan Sinding. Above: St. John's Church.

LILLE LUNGEGÅRDSVANN

Lille Lungegårdsvann og parken omkring ligger vakkert midt i byen, et åpent område med planter og trær og en imponerende fontene som kaster kaskader av vann høyt til værs.

På Festplassens østre side, mot Gamle Bergen Brannstasjon, ble det 17. mai 1938 reist en statue av Christian Michelsen (1857 – 1925) som var Norges statsminister ved unionsoppløsningen i 1905. Statuen er 21, 39 meter høy og laget av Gustav Vigeland.

Lille Lungegård's Lake and its surrounding park are beautifully located in the centre of the city. It is an open area with plants and trees, and an impressive fountain that shoots cascades of water high into the air.

A statue of Christian Michelsen (1857-1925) was erected on 17th May 1938 on the eastern side of Festplassen facing the Old Bergen Fire Station. He was Norway's Prime Minister during the dissolution of the union in 1905. The statue is 21.39 metres high and is the work of Gustav Vigeland.

EDVARD GRIEG

Ved månedsskiftet mai – juni hvert år setter festspillene sitt preg på Bergen. Da er alle bygninger og plasser flaggsmykket hver dag, og et stort antall kulturelle aktiviteter avløser hverandre. Foruten i Grieghallen, som vi ser her på bildet nedenfor, blir det holdt konserter, teaterforestillinger, kunstutstillinger og andre aktiviteter i nesten alle tilgjengelige lokaler, bl.a. ute på Grieg's hjem Troldhaugen og på Ole Bull's sommersted Lysøen.

The Bergen International Festival, which is held at the end of May, beginning of June, is a cultural highlight in Bergen every year. All the buildings and squares are bedecked with flags every day and a large number of cultural events follow each other in quick succession. Besides concerts in the Grieg Concert Hall, see photo below, concerts, plays, performances, art exhibitions and other events are held in almost every available location, including Grieg's home, Troldhaugen, and Ole Bull's summer residence, Lysøen.

GAMLE BERGEN

I "Gamle Bergen" er en rekke karakteristiske bergenske trehus fra 17 – og 1800-tallet gjennoppbygget i et særpreget bymiljø.

Husene har interiør fra 17-, 18- og 1900-tallet.

A number of characteristic Bergen wooden houses from the 1700s and 1800s have been restored in the special city setting that is Old Bergen.

The houses have interiors from the 1700s, 1800s and 1900s.

Frydenlund

Foruten en rekke boligmiljøer viser museet forskjellige former for handels og håndverksvirksomheter, f.eks. bakeri, barber, tannlege og fotograf. På museumsområdet finnes også restaurant med servering av varme og kalde retter.

Besides showing a number of old homes the museum exhibits different types of shops and businesses, including a baker's, a barber's, a dentist's and a photographer's studio. A restaurant on the museum's grounds serves hot and cold dishes.

TROLDHAUGEN

Troldhaugen var Nina og Edvard Griegs hjem. Det er bygget i Victoriansk stil, og ligger ved Nordås vannet, 8 km. syd for Bergen sentrum. Her finner vi også Edvard Griegs lille komponisthytte nede ved vannet, samt Troldsalen en musikalsk hall for kammermusikk, med plass til 200 tilhørere. Den ble innviet i 1985. I 1995 åpnet det nye Edvard Grieg Museum med utstillinger, multimediarom samt kafé. Etter ønske fra Grieg er hans urne plassert i en grotte i fjellet like nedenfor bygningen. Under Festspillene i Bergen blir det avholdt spesielle intimkonserter på Troldhaugen. Stedet er tilgjengelig for publikum i sommermånedene.

Troldhaugen was Nina and Edvard Grieg's home. It is built in the Victorian style and lies by the Nordås Lake, 8 km south of the centre of Bergen. Here you will also find Grieg's tiny composer's cabin down by the lake, as well as Troldsalen, a venue for chamber music with room for 200 listeners, which was opened in 1985. In 1995, the new Edvard Grieg Museum was opened, which is home to exhibitions, a multimedia room and a café. In accordance with Grieg's wishes his urn is placed in a grotto in the rocks just below the building. During the Bergen International Festival special intimate concerts are held at Troldhaugen. Troldhaugen is open to the public during the summer.

"Fantoft Stavkirke", opprinnelig fra 1100-tallet, flyttet fra Fortun i 1879. Kirken brant ned til grunnen i 1992 og er senere gjenoppbygget i perioden 1993 – 1997.

Fantoft Stave Church, originally from the 1100s, was relocated from Fortun in 1879. The church burned down to the ground in 1992 and was later rebuilt between 1993-1997.

GAMLEHAUGEN

Christian Michelsen (1857 – 1925) var Norges statsminister under unionsoppløsningen i 1905. Hans eiendom "Gamlehaugen" ved Nordåsvannet syd for Bergen er nå bolig for de kongelige når de besøker Bergen, men er åpen for publikum i juni, juli og august.

Christian Michelsen (1857-1925) was Norway's Prime Minister during the dissolution of the union in 1905. His home, Gamlehaugen, next to the Nordås Lake south of Bergen is now the Royal Family's residence when they visit Bergen, but is open to the public in June, July and August.

1. Fløibanen / Fløien Funicular Railway
2. Torgallmenningen / Torgallmenningen
3. Torvet / Torget - The Market Square
4. Bryggen / Bryggen Quay
5. Bergenhus festning / Bergenhus Fortress
6. Mariakirken / St. Mary's church
7. Fløien / Mt. Fløien
8. Ulriken / Mt. Ulriken
9. Akvariet / The Aquarium
10. Den nasjonale scene / The National Scene
11. Lille Lungegårdsvann / Lille Lungegård's Lake
12. Grieghallen / The Grieg Concert Hall
13. Gamle Bergen / Old Bergen
Skomakerdiket
FLØIEN
Skansemyren
E 39
FLØIBANEN
TORVET
MARIA KIRKEN
BRYGGEN
TORVALMENNINGE
Skuteviken
Vågen
BERGENHUS FESTNING
DEN NATIONALE SC
GAMLE BERGEN
E 39 E 16
Hegreneset
Sydnes
AKVARIET
Nordnes
Puddefjorden
Byfjorden

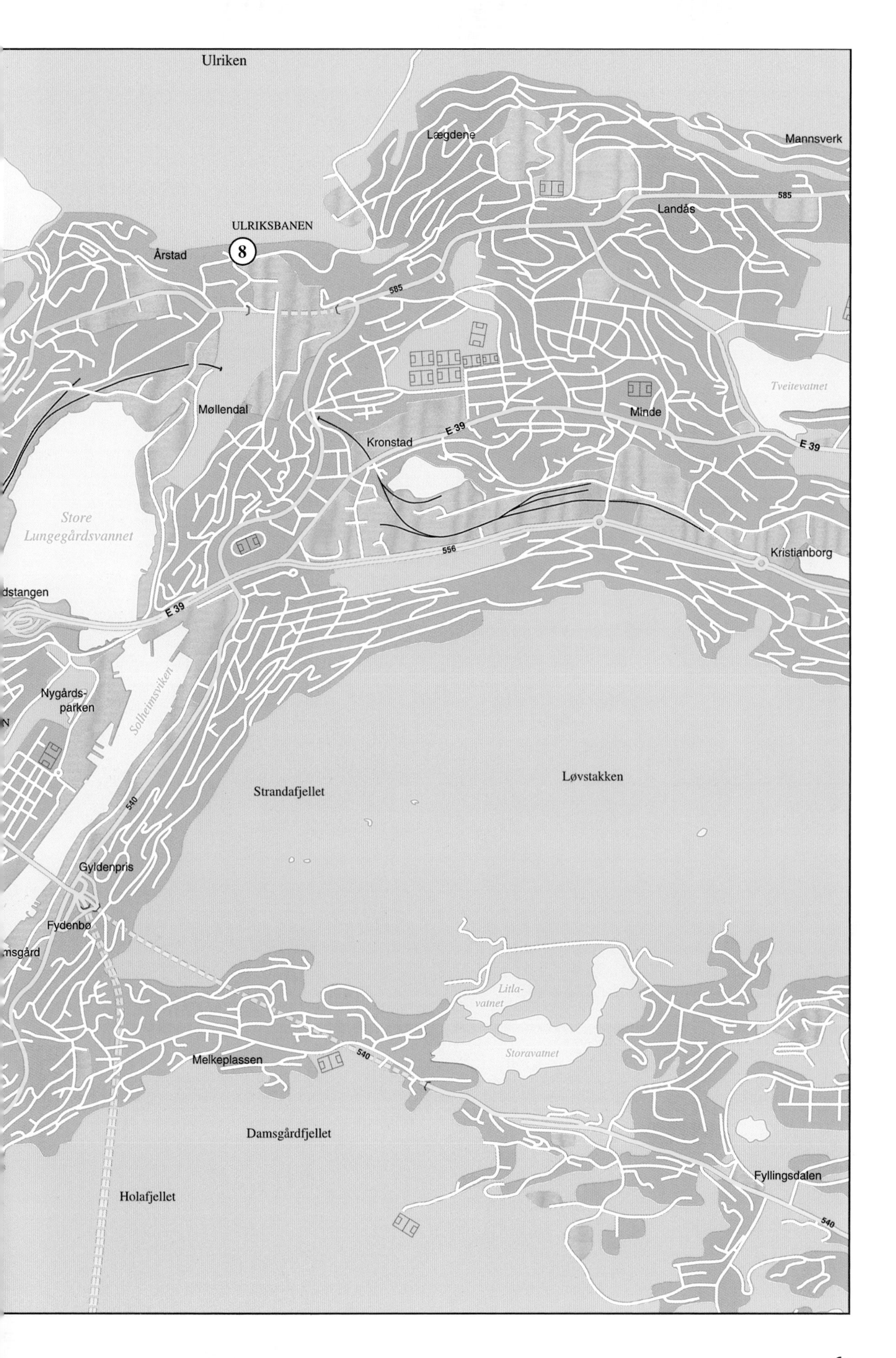
Ulriken
Lægdene
Mannsverk
585
Landås
ULRIKSBANEN
8
Årstad
585
Tveitevatnet
Møllendal
Minde
E 39
Kronstad
E 39
Store
Lungegårdsvannet
556
Kristianborg
dstangen
E 39
Nygårds-
parken
Solheimsviken
540
Strandafjellet
Løvstakken
Gyldenpris
Fydenbø
msgård
Litla-
vatnet
Storavatnet
540
Melkeplassen
Damsgårdfjellet
Fyllingsdalen
540
Holafjellet

Utgitt av / Published by: © Pictura Normann A.S.
Tekst / Text: Torstein Medell
Formgivning / Design: Linda Rønning, Haslum Grafisk AS
Formgivning kart / Map design: Fjellanger Widerøe AS
Trykket av / Printed by: Haslum Grafisk AS
Oversatt av / Translated by: Language Power Center

Bilder i denne boka er fotografert av:
Normanns Kunstforlag, TBP, Tourist Photo / Willy Haraldsen
og Bergens Tidende

The pictures in this book are photographed by:
Normanns Kunstforlag, TBP, Tourist Photo / Willy Haraldsen
and Bergens Tidende